美国心理学会儿童情绪管理读物
What-to-Do Guides for Kids

# 太害羞，怎么办？

## 如何建立社交自信

# What to Do When You Feel Too Shy
## A Kid's Guide to Overcoming Social Anxiety

（美）克莱尔·A. B. 弗里兰（Claire A. B. Freeland）
（美）杰奎琳·B. 托纳（Jacqueline B. Toner）　著
（美）珍妮特·麦克唐纳（Janet McDonnell）绘
王 尧 译

化学工业出版社

·北京·

## 图书在版编目（CIP）数据

太害羞，怎么办？——如何建立社交自信 /（美）克莱尔·A. B. 弗里兰（Claire A. B. Freeland），（美）杰奎琳·B. 托纳（Jacqueline B. Toner）著；（美）珍妮特·麦克唐纳（Janet McDonnell）绘；王尧译. —北京：化学工业出版社，2017.11

（美国心理学会儿童情绪管理读物）

书名原文：What to Do When You Feel Too Shy: A Kid's Guide to Overcoming Social Anxiety

ISBN 978-7-122-30674-6

Ⅰ．①太…　Ⅱ．①克…②杰…③珍…④王…　Ⅲ．①心理交往－社会心理学－儿童读物　Ⅳ．①C912.11-49

中国版本图书馆CIP数据核字（2017）第234603号

责任编辑：郝付云　肖志明　　　　　　　　装帧设计：邵海波
责任校对：边　涛

出版发行：化学工业出版社（北京市东城区青年湖南街13号　邮政编码100011）
印　　装：大厂聚鑫印刷有限责任公司
787mm×1092mm　1/16　印张5　字数40千字　2018年1月北京第1版第1次印刷

购书咨询：010-64518888（传真：010-64519686）　售后服务：010-64518899
网　　址：http://www.cip.com.cn
凡购买本书，如有缺损质量问题，本社销售中心负责调换。

定　　价：20.00元　　　　　　　　　　　　　　　版权所有　违者必究

# 写给父母的话

养育孩子的乐趣之一，就是看着他成长为一个独立、独特的人。他开始学会自己处理事情，不再为一点小事就依赖你。可是，有社交焦虑的孩子怎么办呢？他们往往缺乏社交自信，不敢表达自己，难以和他人交流。如果别的孩子毫不犹豫去参加活动，而你的孩子却不愿意参加，你可能会很难受。

虽然每个孩子——每个人——都会有害羞的时候，但是，有的孩子比别的孩子更容易拘谨和沉默。他们害怕尴尬和拒绝，内心为此也感到痛苦。在有些社交场合，他们的大脑和身体会发出一系列"警报"信号。

尽管我们可以简单地将上述孩子的行为定义为害羞，但必须认识到非常重要的一点：害羞和社交焦虑不一样。虽然很多害羞的孩子会有社交焦虑，但也有很多孩子没有，而且并不是所有有社交焦虑的孩子都害羞。在不熟悉的社交场合，有的孩子会谨慎小心；在发现被人评论时，有的孩子会拘泥不安，这些都是害羞的表现。这种中低程度的害羞是很多孩子都有的特点。这些孩子可能需要用很长的时间来调整自己，从而适应特定坏境。但是，当他们做完"热身活动"后，就会融入进去。而社交焦虑的孩子，在社交评估性情境中会非常害怕、不知所措，甚至会感到非常痛苦，想要逃避这些场合。

社交焦虑是如何产生的呢？目前还没有确切的答案。在多数情况中，可能是多种因素作用的结果，如生理上的容易焦虑的易感性，行为角色模型、文化差异和童年的复杂经历等。但是，无论哪种情况，儿童都能够通过不断练习和相应技巧来培养自己的社交自信。

如果孩子参加日常活动，如聊天、课上回答问题、餐厅点餐、参加课外活动、表演（仅仅是团队中的一员），都感到困难，那么他内心会非常痛苦。如果孩子有社交焦虑，在别人的关注下，他会打冷战、头晕、发抖、脸红等，你就会更加理解他。你可能也和孩子就一些问题反复争执过，比如他多次拒绝参加那些自己感到害怕的活动，为此，他会请求你、发脾气，甚至接受你的惩罚。

为此，你的孩子甚至整个家庭不仅承受了许多痛苦，他也失去了发展自我的重要人生经验。社交自信不仅是让自我感觉更好，而且对人生发展非常有用。社交自信的孩子在学校往往也更成功，他们的人际关系更好，愿意接受更多挑战，从别人那里得到的帮助也更多。

如果你的孩子缺乏社交自信，请不要太担心。《太害羞，怎么办？》会指导他更加舒适地应对各种社交场合。这些指导原则以行为—认知心理学为基础，主要有以下几种方法：

1. 练习社交技巧，如问候、请教和回答。
2. 训练自信，如大声说出来。
3. 逐步适应困难情境，在各种场合中更加独立自主。
4. 创新思维方法，向自信的孩子学习如何自我对话。
5. 学习应对意外的技巧。
6. 自我调节情绪，学会应对压力。

通过这些有趣的活动和练习，你的孩子将会学到如何大声说出自己的想法、融入集体、积极参加活动，从而一步步扩大自己的舒适区。

虽然这本书是专门为孩子写的，但是你的参与也非常重要。当孩子年幼时，你通过指导他的各种行为，帮助他克服社交焦虑的概率更大。在孩子阅读前，你自己先把本书阅读一遍，然后再陪孩子一起慢慢阅读，一次一章。积极鼓励孩子做书里的练习，跟孩子讨论如何将练习应用到生活中。对孩子而言，书里有许多需要掌握的知识以及需要做的练习，所以，孩子的每一个进步，你都要给予认可和称赞。要知道，"不积跬步，无以至千里"，变化就是建立在一点点的进步之上。

如果你也有社交焦虑，那么，你会发现，书里的许多案例也是你的经历，你可以和孩子谈谈你的应对策略，以及生活中是如何克服焦虑的到自己的生活；如果你没有社交焦虑，那么，也要站在孩子的角度理解和支持他，你的接纳和耐心会让孩子更有安全感，更愿意去尝试和挑战。

无论你的个人经历如何，下面的办法都能帮助你的孩子克服社交焦虑：

1. 帮助孩子提前为新的人生体验做好准备，提高孩子的适应力。
2. 理解和接纳孩子的各种感觉。
3. 引导孩子积极参加各种活动。
4. 支持和接纳孩子的天性和兴趣。
5. 举止友好优雅，为孩子树立社交榜样。
6. 保持冷静，给孩子以信心。

大多数孩子的社交焦虑能够得以解决，然而，有社交焦虑的孩子往往比别的孩子有更多的困难，比如，容易焦虑害怕、急躁易怒以及睡眠问题等。你可以在"美国心理学会儿童情绪管理读物"系列丛书中，找到解决这些问题的相关图书。如果孩子长期存在这些困扰，请咨询儿科医生或者心理专家。

请从繁忙中抽出时间养育孩子，帮助他建立社交自信吧！也请珍惜亲子相处的时光，因为他很快会离开我们去找朋友一起玩，一起参加活动啦！

# 目　录

# 第一章

# 马戏团小丑

当你去马戏团时，你几乎都能看到小丑。他们在舞台上表演魔术，让我们哈哈大笑。他们常常穿着色彩鲜艳的衣服、大大的鞋子，戴着各种各样的假发和五颜六色的帽子。

6

但可以肯定的是，小丑们用花哨的服装道具和滑稽的表演吸引了观众的注意力。你有没有发现，他们非常喜欢观众关注和嘲笑自己呢？

有时候你可能喜欢别人关注你，但是，有时候你并不喜欢这种关注。这时，如果你成为大家关注的焦点，你就会感到很不舒服。很多孩子在发现别人注意自己的时候，都会感到害羞，这很正常。感觉是你自己非常重要的一部分，即使那些不舒服的感觉，也是如此。

有些孩子会因为别人的关注而感到非常不舒服，他们的身心太容易害羞或者紧张。但是，如果你在他人面前总是太害羞，有时真的会影响你的成长。

当你觉得尴尬，担心别人嘲笑、批评你时，除了自己感到不舒服外，你可能会拒绝参加好玩的游戏，从而错过跟大家一起玩的乐趣。最后，你可能会感到受了冷落，或者觉得孤独。

这些感觉可能会阻碍你得到自己想要或需要的东西。

你还记得自己因为大家的关注而太害羞的时候吗？你有没有遇到过下面的情况呢？

- 在课堂上，你会回答问题，却没有举手。

- 你滑冰滑得很好，但因为太害羞而没有进入滑冰队。

- 担心会有不认识的小伙伴，所以你不去参加好玩的生日聚会。

- 不好意思让售货员帮忙找你喜欢的玩具，你就没有买它。

也许还有其他的情况，让你因为他人的关注而不知所措。

写出或者画出一次
让你特别害羞的情景。

为了不再为他人的关注而太过焦虑，你需要学会用不同的方法去调整自己。虽然这些方法不会马上见效，但是，通过许多小步骤，你会不断进步，从而克服害羞，更加自信地与他人相处。最后，你会发现，大家像"聚光灯"一样的关注也没有那么糟糕。

# 第二章

# 驯 狮

有些马戏团里会有驯狮表演。狮子坐在高台上，当驯狮员挥动长鞭时，狮子会从一个高台跳到另一个高台，甚至会钻过铁环。

驯狮员不害怕，因为他已经掌握了让狮子表演的方法。但是如果让你去抚摸狮子，你肯定会害怕！这是件好事情，因为除非你已经学习了好多年如何训练狮子，否则即使抚摸狮子，也是不安全的。当我们身处不安全的环境时，我们会心跳加快，身体发抖，肌肉紧张，这是我们的身体在发出危险的警报。这些对我们非常有用，因为我们会注意到这些信号，从而保护自己的安全。

有时，即使没有狮子或者其他会伤害我们的东西，我们的身体也会有这种反应，这就是所谓的**焦虑**。通常，人们焦虑和恐惧时的身体反应是一样的。而且，焦虑往往来得很突然。

还记得在第一章里，读到成为大家关注的焦点而感到不舒服的内容吗？当你在众人面前太害羞、尴尬或者不安时，你的身体就会出现**焦虑**反应。

14

不同的人对**焦虑**的身体反应也不一样。看看下图所示的人物。请将你**焦虑**时的身体反应圈出来，比如在大家都看着你或者你必须在众人面前讲话时——也就是你成为大家关注的焦点时。

头晕

脸或脖子变红

心跳加速

手心出汗

双腿颤抖

胸闷

呼吸急促

心里七上八下

其他：
_____
_____
_____

在一些情形下，大多数人都会因为众人的关注而感到**焦虑**。

看一看下面列举的例子，哪种情况会让你感到焦虑？

☐ 在学校被老师点名回答问题或者朗读课文。

☐ 给全班同学做演讲。

☐ 在黑板或者电子白板上写东西。

☐ 在学校参加小组课题。

☐ 去操场上跟一群小伙伴玩耍。

☐ 参加社交活动，比如冰激凌社交活动或其他。

☐ 迟到。

☐ 在朋友家洗澡。

☐ 去邻居家帮爸爸或妈妈拿东西。

☐ 接电话。

☐ 在餐厅里点餐。

☐ 给朋友打电话。

☐ 参加校外活动。

☐ 独唱表演。

☐ 喊朋友一起走。

☐ 主动攀谈。

☐ 和大人聊天。

☐ 结账。

你选了上面的哪些情况？

请注意：上面的情况没有一项会真的带来危险——不像抚摸狮子那样！但是，你的身体却会像面临危险那样做出反应。

那些经常让你感到焦虑的情况，我们称之为**触发器**。

这些**触发器**会导致**担忧想法**，进而引发**焦虑想法**。然后，你可能会因为太害羞而不去做一些事情，甚至会尝试逃离。

这就像一个连锁反应。链条中的每一环节都会引发下一环节。

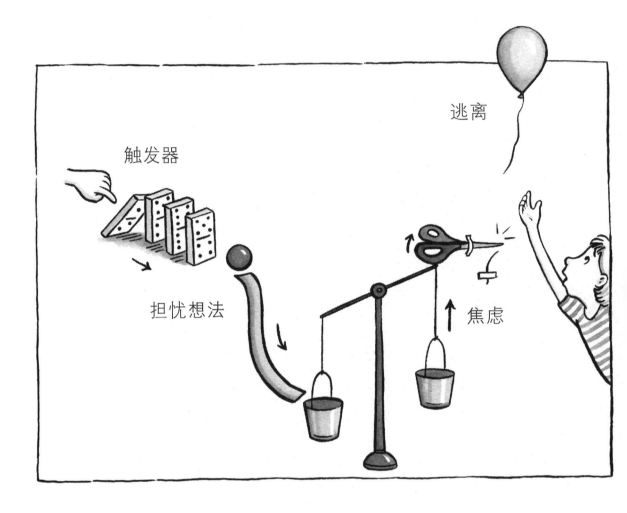

那么，什么是**担忧想法**呢？下面是一些我们经常能看到的：

- "大家都会嘲笑我的。"
- "他们不喜欢我。"

- "我不知道该说些什么。"

- "别的孩子会发现我紧张。"

这些**担忧想法**自然会引发**焦虑**！所以，当人们有了这些想法后，焦虑也就随之而来，接下来，会发生什么事情？人们会怎么做？

他们可能会：

- 静静地坐着。

- 尝试离开。

- 低下头。

- 拒绝有趣的活动。

那么，你已经看到一种**触发**情形是如何导致**担忧想法**，并引发**焦虑**，从而让你错失一些非常重要的成就和快乐。

如果你为了避免上述情形，正在努力尝试摆脱**焦虑**，那么，要知道，有这种想法的并不是只有你一个。每个人都会有太害羞的时候，很多孩子会在别人关注时感到**焦虑**。好消息是：有一些方法和策略可以帮助你。掌握这些方法后，很多孩子不再那么**焦虑**了。

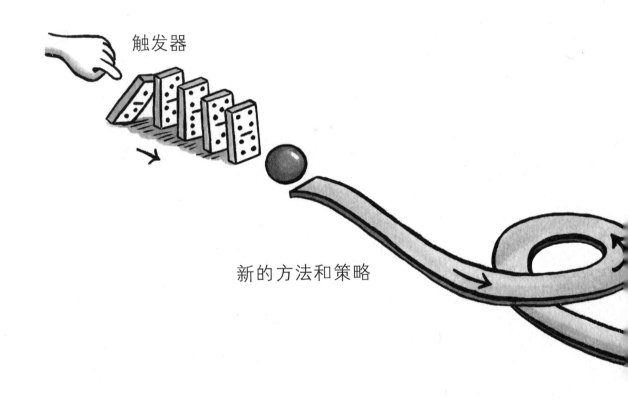

触发器

新的方法和策略

你想改变这个连锁反应吗？当你改变了自己的想法和行为，你就能"训练狮子"，不再**焦虑**了！

成功

焦虑减少

# 第三章

# 聚 光 灯

　　马戏团的演员们上场表演的时候会用到很多不同的技能和方法。想一下，如果一个杂技演员这样想："我永远也练不好杂耍棒，表演的时候，我会接不住它们，那时，观众都会嘲笑我！"这些**担忧想法**让他非常焦虑，以至于放弃训练，拒绝演出！

我永远也做不好

但是，如果这位杂技演员改变他的**担忧想法**呢？他会这么想："我已经努力了。观众都会非常开心的，即使我接不住一个杂耍棒，他们仍然会喜欢这次演出。"你认为这些想法能鼓励他去尝试表演吗？在这一章里，你将会学到一些确认自己**担忧想法**的方法，以及战胜它们的**自信想法**。掌握这些，你就可以勇敢地走到大家面前。

嘿，我仍然很棒！

下面是一些有**担忧想法**的孩子可能有的**焦虑**感觉：

- "我不知道该说什么。"

- "她可能不想跟我玩。"

- "他们可能不喜欢我的演讲。"

- "每个人都会发现我在发抖。"

- "我肯定做不好。"

这些想法都是消极的，很容易让人焦虑。**担忧想法**有不同的类别，我们经常见到的是：**聚光灯想法**、**读心术想法**以及**自我否定想法**。

对佐伊来说，在食堂吃午餐是非常痛苦的事情。她觉得，同学们都在盯着她吃东西。她非常担心说话时嘴里还有食物，所以她总是安静地坐着吃饭。佐伊的想法让她觉得自己的头顶有一盏聚光灯。当你有**聚光灯想法**时，你会觉得大家都在盯着你看，而实际上却并非如此。

在曲棍球比赛中，泰勒错过了一次进球。在接下来的比赛里，他坚信，队友和教练都认为他是一个糟糕的球员。这就好像他认为自己能够读懂别人的想法一样。当你有**读心术想法**时，其实是在假设自己知道别人在想什么。

安德鲁被选入学生会，但是他却拒绝参加。他认为自己做不好这项工作：他提不出好的建议；会议结束后，他会忘记需要传达给同学们的会议内容。这些想法让他感觉自己会

让所有人失望。当你有**自我否定想法**时，其实是你认为自己不够好。

**聚光灯想法**、**读心术想法**和**自我否定想法**会让**焦虑**更加强烈。这些都是不合理的、无益的想法。你可以用**自信想法**来战胜这些不合理想法，从而帮助自己缓解焦虑。

用**自信想法**帮助佐伊、泰勒和安德鲁战胜他们的不合理想法。

比如，佐伊可以试着这样想："大家关注的是我说的话，而不是我正在吃饭。"你能为佐伊想到战胜**聚光灯想法**的其他**自信想法**吗？

_____

_____

_____

_____

_____

_____

_____

_____

想战胜**读心术想法**，泰勒可以对自己说："教练可能在思考整个比赛，而不仅仅是我个人的表现。"你能为泰勒想到别的**自信想法**吗？

_____

_____

_____

_____

_____

_____

_____

当安德鲁有了**自我否定想法**时，他可以告诉自己："每个人都会出错，但是，我平时都做得不错。"安德鲁还能用哪些别的**自信想法**呢？

_____

_____

_____

_____

_____

_____

当你有不合理的**担忧想法**时，请为自己寻找**自信想法**。

试一试下面的迷宫游戏。

帮助这位杂技演员找到他的杂耍棒。不要让**聚光灯想法**、**读心术想法**和**自我否定想法**阻碍你。

**自信想法**能帮助你缓解焦虑，让你更加轻松地走到聚光灯下，走到大家面前。

还有更多的好消息：只要不断练习，让你焦虑的事情也会变得容易。

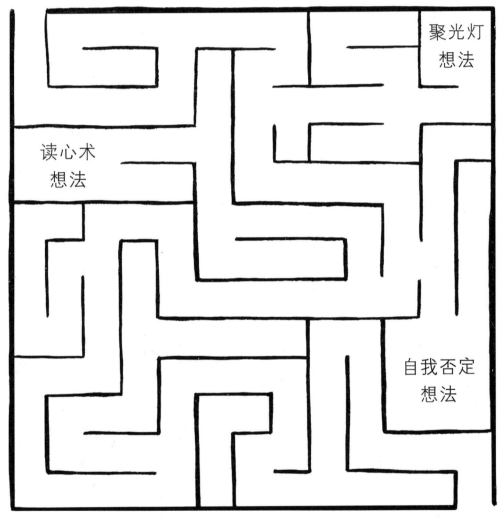

聚光灯
想法

读心术
想法

自我否定
想法

自信想法

29

第四章

# 爬 梯 子

　　大多数马戏团演员都需要有很大的勇气。走钢丝的演员走在接近天花板的钢丝上，冒着从钢丝上掉下来的危险；空中飞人则把脚吊在秋千上，在高空中荡来荡去。当然，这些演员不是一开始就会做

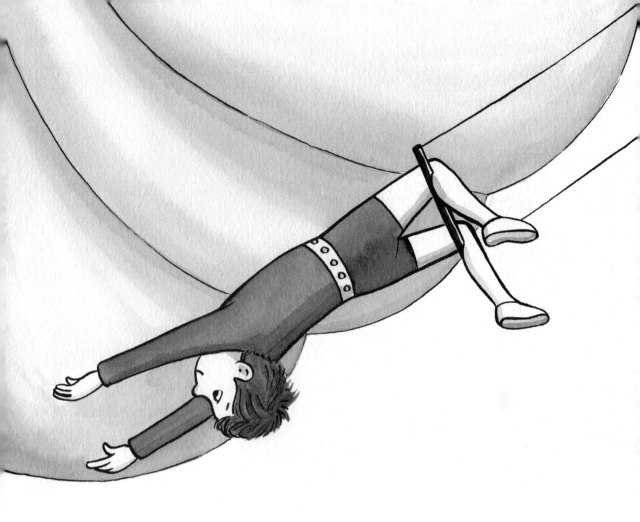

如此高难度的动作，他们也是从简单的动作开始。一旦他们学会了表演技能，克服了内心的恐惧，他们就会不断挑战自我。

克服**焦虑**也是这样子的，你也可以通过针对性练习来缓解**焦虑**，让自己感到更舒服。但是，正如马戏团里的空中飞人，你要从学习简单的方法开始。

每次朋友邀请肯德拉到家里过夜，她总是会拒绝。但是，她的妈妈发现，当别的女孩子答应去朋友家过夜时，肯德拉都有点伤心。妈妈每次都劝说肯德拉应该去，但是，她实在是太焦虑了。她担心朋友家的晚餐不好吃，又不好意思说出来；她担心别的女孩说她的睡衣不好看，或者听不懂朋友们聊什么。如果这样子，她会感到不舒服。还有，她害怕待在陌生的房子里，也不敢和大人说这件事，这让她非常紧张。她觉得她会因为害怕而哭泣，那样子，所有人都会盯着她看。

肯德拉的担忧很大程度上源于她不敢告诉别人自己的感觉，说出自己的需求。

32

她太焦虑了。当然，她担忧的事情并不是都那么令
人害怕。

　　在妈妈的帮助下，肯德拉决定从参加部分过夜
活动开始。她计划去朋友卡西家吃晚饭。她的妈妈
告诉卡西的妈妈，晚饭不要准备特别的食物。她和
妈妈还探讨了，遇到不喜欢的食物时，应该如何礼
貌地告诉别人。

在她要去卡西家的那天时，她还是很紧张。当妈妈开车把她送到卡西家时，她更加紧张了。甚至跟卡西一起玩的时候，她还是没放松下来。到吃晚饭了，她发现卡西家的晚餐里有豌豆。虽然很多小孩子喜欢豌豆，但是她不喜欢。她感到胃疼、手心冒汗，但她还是大声地说："我不要，谢谢。我不喜欢吃豌豆。"

我不要，谢谢。我不喜欢吃豌豆。

当妈妈来接她时，肯德拉把自己的成功表现告诉了妈妈。虽然她知道下次去朋友家吃晚饭时还会紧张，但是，如果有自己不爱吃的食物，她不会再那么害怕，而且也知道应该怎么做了。

为什么肯德拉下次在朋友家吃饭时不再那么害怕了？我们应该如何帮助她，让她有勇气在朋友家过夜？为什么针对害怕的事情进行练习会有效果？

你还记得感到**焦虑**时自己的身体反应吗？比如手心出汗、脸红。其实，只要在让你**焦虑**的环境中待得时间久了，你的身体就会逐渐适应环境，从而平静下来。下次，等你遇到类似的情况，你的身体就不会再那么烦躁不安了。如果你继续练习，最终，你的身体可能不再发送那些恐惧信号。

制作一个清单，把你感到害羞或者因为**焦虑**而拒绝的事情列上去。有的是你跟不同的人说话，比如你认识的成年人、陌生人，或者儿童；有的是你认为在他人面前做不好，或者从来不做的事情；有的是说出你不喜欢的事情，或者开口向他人求助。努力制作一份尽可能长的清单。下面是卡特写的一个清单。

## 卡特的清单：

- 邀请朋友去一个地方。

- 参加过夜聚会。

- 跟超市的收银员打招呼。

- 独自去买东西。

- 从外卖窗口订餐。

- 向他人询问图书馆的卫生间在哪里。

- 告诉老师自己不清楚如何写作业。

- 通过电话订比萨饼。

- 问操场上的孩子能否一起玩。

你的清单

- _____
- _____
- _____
- _____
- _____
- _____
- _____
- _____
- _____
- _____
- _____
- _____

现在，把你的清单设计成一个梯子：底部是最简单的，越往上越难，顶部是最难的。

接下来的挑战是开始爬梯子。大多数孩子会从第一个开始，一次一个台阶，虽然有时候看起来是最简单的**事**情，但通常是最难的。 随着你越爬越高，如果你发现，前面的台阶看起来要比之前想的简单，那么，那就可以跨一个台阶或者一次多上几个台阶。你可以根据需要重复做这些步骤，直到你缓解了焦虑。

当你尝试着做让你焦虑的事情时，随着你逐渐适应做事的环境，身体的不舒服反应也会逐渐消失。所以，勇敢开始第一步吧！你很快就会爬上高高的梯子，轻松飞翔！

# 第五章

# 镜子屋

　　你见过马戏团的镜子屋吗？那里有各式各样的镜子，你能从每一面镜子中看到不同的自己。你在一面镜子里看到自己又高又瘦，又在另一面镜子里看到自己又矮又胖，再在其他镜子里看到自己倒立着，甚至看到自己有个巨大的嘴巴，像卡通人物。这种从不同的角度看自己是非常好玩的，虽然你从镜子里看到很多不一样的自己，但是你知道，这都是同一个人。

　　你在周围人眼里，就像你在镜子屋里看到的一样，在不同的人面前，你展现的是不同的自己。虽然，你会与不同的人进行人际交往，但你还是你自己。有时，你会焦虑，会逃避做一些让自己感到害羞的事情；有时，你不焦虑，也不再逃避。总之，无论何时，你永远是你自己。

有时，你害羞是因为不知道该如何与人交流。面对有些人，你会感到放松舒服；而有些人，则会让你紧张焦虑。

当和让你放松舒服的人在一起时，你会做什么呢？你可能会微笑、聊天，看着他，对他的话很感兴趣。这些行为都是友好的表现。

当和让你焦虑的人在一起时，你可能不会表现得这么友好，内心也会不舒服。这就像哈哈镜！其实，你还是你自己。虽然这时你焦虑不安，但仍然是有办法让别人感觉到你的友好。所以，当你焦虑时，你可以用下面的方法来练习向他人展示友好。展示友好的第一步是问候。下面是一些问候的步骤：

- 站直身体。
- 目视对方。
- 微笑。
- 说"你好"。

第二步是开始对话。下面是一些与人开始对话的方式：

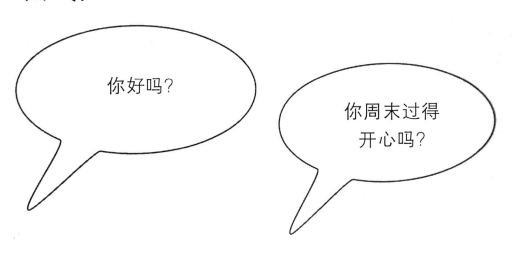

现在该你了。你能问点别的吗？

当你在与人聊天时，有一些方法是可以帮助你让聊天持续下去的。下面是常用的基本方法：

- **轮流**。有些人特别能说。在聊天时，你既要做一名发言者，也要做一名倾听者。

- **回应话题**。有些人总是侃侃而谈，谈论自己的想法，对别人的想法不予回应。你不要一直谈论一个话题，而是要倾听他人的谈话，并回应他人的话题。

- **发问**。当你问问题时，说明你对他们的话题感兴趣。

- **发表意见**。评论他人所说的话，是另一种表达兴趣的方法。

与人聊天时，诺亚一般不会焦虑，但莉莉总是焦虑。星期一早上，诺亚到学校后碰到了莉莉。他说："上周末，我看了电影《来自火星的男孩》，你看了吗？"

莉莉特别紧张和**焦虑**，她低下头轻轻地说："没看。"

诺亚又试着跟莉莉说话，他说："电影很好看，你可以看看。"莉莉不知道该说什么，所以她什么也没说。诺亚只好去跟其他同学聊天。

让我们帮助莉莉和诺亚来一次对话吧。

当诺亚说到"上周末，我看了电影《来自火

星的男孩》"时，接下来，莉莉该如何跟诺亚聊天呢？

写一个友好的回应

夏洛特的爷爷奶奶要来看她。平时，爷爷奶奶住在另一个城市里，他们很少见面，跟爷爷奶奶聊天的时候，夏洛特有点**焦虑**，不知道该说些什么。

让我们帮助夏洛特给爷爷奶奶一个礼貌亲切的欢迎问候吧！她应该怎么做呢？

1. _____

2. _____

3. _____

4. _____

跟爷爷奶奶打招呼的时候，她可以问或者说些什么呢？

1. _____

2. _____

3. _____

4. _____

夏洛特可能还会紧张，但是，如果她表现得亲切自然，她的爷爷奶奶也会轻松愉快，这会让她感觉更舒服。你知道吗？科学研究发现，当人们微笑时，他们的内心其实会更快乐。你快乐的时候会微笑，当你微笑的时候，你也会感到快乐。

练习你的打招呼和聊天技巧吧！很快你会发现，你的友好，同样会得到他人同样的回应。

# 第六章

# 主 持 人

　　在马戏团里，主持人要上台介绍马戏团的情况，并且主持所有的演出。无论谁在台下听，主持人都必须**大声说话**。其实，我们每个人都是自己的主持人，要**大声说出来**自己的想法。**大声说话**是什么意思呢？它的意思是，礼貌而清楚地告诉别人自己的需求。你想要什么，喜欢什么或者不喜欢什么，你都要说出来让别人知道，这很重要。虽然说出来也不一定能得到你想要的东西，但是如果你不说，你肯定得不到。

路易斯在学校食堂吃午餐，他想要一个苹果，可盛饭的阿姨给了他一根香蕉。**大声说出来**是："麻烦您，能给我换一个苹果吗？"

玛雅正在一个生日聚会上玩，大家轮流玩滑梯。她发现，有人已经玩了两次了，而她还没轮到。**大声说出来**是："下一个请让我玩。"

如果此时**焦虑**情绪占了上风，就很难**大声说出来**。

那么，有哪些具体的原因导致我们很难**大声说出来**呢？

一个原因是担心别人的反应。虽然依据不同的情境，你可以提前准备所说的说，并且做好**大声说出来**的准备，但是因为你不确定别人的反应，所以不敢**大声说出来**。

还有一些孩子认为，如果他们**大声说出来**，别人会嘲笑他们，或者会生气，所以他们不敢说出来。

要知道，你有权利大声说出你的想法。别人如何回应并不能 影响你的表达。在接下来的章节里，我们会教给你一些答复别人的技巧。现在，我们学习一些**大声说出来**的步骤：

- 声音洪亮。

- 挺胸抬头。

- 举止礼貌。

在学校，你会有很多大声说出来的机会。

当你在排队时，如果有人插队到你前面，你该如何说呢？

也许你会说："抱歉，打扰你，但是，请你排队。"

54

如果你还没有用完某样东西，别人想从你手里拿走，你该如何说呢？

_____

_____

_____

_____

如果你想坐下吃午饭，可椅子上却放着东西，你该如何说呢？

_____

_____

_____

_____

即使在朋友家里，你也有许多大声说出来的机会。

如果朋友的爸爸给了你不喜欢吃的东西时，你该如何说呢？

你可能会说："抱歉，约翰逊先生，我不喜欢吃香蕉，能给我换成别的东西吗？"

如果在讨论玩什么的时候，朋友不让你发表意见，你该如何说呢？

_____

_____

_____

_____

_____

如果朋友的父母让你看电影，而你知道你的父母是不会允许你看这部电影的，你该如何说呢？

_____

_____

_____

_____

_____

生活中有很多时候需要你**大声说出来**。你管不了别人，但你可以主宰自己。你可以清楚地告诉别人你的需求、你的想法以及你的行为原则——什么可以做，什么不可以做。

大多时候，你**大声说出来**会得到他人的赞许。但是，如果你深受焦虑的影响，你就需要练习**大声说出来**的技巧和方法。所以，现在我们继续阅读，开始练习吧！

# 提前考虑意外

　　马戏团演员会花大量时间来准备演出动作、选择服装、检查道具以及训练动物，但是，有时候，演出还是会出现意外。

　　有时候，虽然你努力克服内心的**焦虑**，但还是会跟马戏团的演员一样，出现一些意料之外的事情。比如，你精心准备了要跟别人说的话，但对方并没有按照你的期许回答，你会非常沮丧；还有，如果你克服**焦虑**去邀请别人参加一项活动，但是对方拒绝了你，你也会很伤心。所以，当事情没有按照我们的期望发展时，请千万不要灰心丧气。

在你将感到**焦虑**的事情制作成清单时，还要花时间考虑一下可能会出现的意外情况，以及针对意外情况的一些解决办法。

**?** 如果你邀请朋友去看电影，她拒绝了你，你会怎么做？

**?** 如果你遇到不会做的数学题目，去问老师，老师说"再看一遍问题"时，你会怎么做？

**?** 如果你参加保龄球聚会，别人都比你玩得好，你会怎么做？

**?** 如果你想跟操场上的小伙伴们一起玩，但他们不同意时，你会怎么做？

**?** 如果你买完糖果，找零钱付款的时间有点长，收银员抱怨你时，你会怎么做？

我们在生活中会经常遇到这些情况，但是，担心忧虑与想办法积极应对是不一样的。担心只会产生**焦虑感**，而如果你提前考虑到意外情况，你就会提前想好处理方法，并准备好应对的具体措施。

杰克发现，丹尼尔邀请班里的男同学参加他的生日聚会，玩彩弹游戏，但自己并没有接到邀请。杰克虽然很难过，但是决定想一个办法来解决这个问题。他想了几个办法：

杰克又认真考虑了每个办法可能产生的结果，以及带给他的感受。他想选择直接忽视，可他心里并不舒服。最终，他决定邀请丹尼尔和乔改天一起去攀岩。

如果别人做了你不喜欢的事情，你可能会沮丧、伤心、生气或者尴尬。有时，这些感觉会很强烈。如果发生这种情况，最好的方式就是像杰克这样，停下来考虑一下应对办法。我们称之为：

让我们来练习

1. 在学校，有人喊你"胆小鬼"。

   你会：

   A. 不理她。

   B. 告诉她，她这么做让你很难过。

   C. 大笑。

   D. 喊她"小矮人"。

   E. _____

2. 你要举行生日聚会，可你最好的两个朋友却不参加。

   你会：

   A. 问问他们不能参加的原因。

   B. 不再把他们当朋友。

C. 取消生日聚会。

D. 邀请另外两个人。

E. _____

3. 你努力克服紧张不安，等着问足球教练问题。但是，他却没有注意到你。

你会：

A. 离开，改天再问。

B. 大声说"打扰您，布朗先生"。

C. 跳上跳下不停地喊"布朗先生，布朗先生"。

D. 让你的爸爸替你问布朗先生问题。

E. _____

4. 你正在水龙头前接水，后面有人用力推你，你被溅了一身水。

你会：

A. 说"小心！你都让我溅湿了"。

B. 向老师告状，有人推你。

C. 走开，什么也不说。

D. 向身后的人洒水。

E. _____


上面提到的这些办法中，有一个办法比较好。

如果你制作了自己的选择清单，请认真考虑一下，每一个选择可能会产生的结果。这会有助于你做出最好的选择。

在杰克的例子中，他真心想跟和丹尼尔以及其他男孩子成为更好的朋友。他认为，生气和忽视都没有用。所以，他试着去想一个有趣的活动，好邀请朋友们都参加。

在**中场休息**时，你能想到越多的办法去解决这些意外、失落以及伤心的事情，你就越能克服内心的**焦虑**。

# 第八章

# 休息，放松，鼓励自己

当你在马戏团看表演的时候，你会发现，走钢丝的人会集中精力走好每一步。其实，马戏团里的每一位演员都有一项工作，需要全神贯注和小心谨慎。

就像马戏团里的演员，你在挑战**担忧想法**、尝试**焦虑**场景和练习友好技巧时，需要集中精力去做一些事情，说一些话。这会让你的身体处于压力状态。如果压力有助于你集中精神、朝着目标努力，这是好事。就如同走钢丝的人，他们收紧肌肉，身体就不会摇摆倾斜；他们调整呼吸，专注走好脚下的每一步。

但是，没有人会长期如此。表演结束后，演员也需要放松，释放身体的压力。你也需要，我们每个人都需要。

放松可以是热闹的方式，也可以是安静的方式；可以跟别人一起，也可以独自一人。我们可以采用各种各样的方式去释放压力。想一想你喜欢的放松方式。下面的清单，列了一些其他孩子的放松方式，你可以将对自己有用的放松方式写在下面：

## 运 动

骑车

游泳

跳绳

_____

_____

## 手 工

画画

玩黏土

组装

_____

_____

## 交　流

和朋友玩

和爸爸或妈妈玩牌

与苏西婶婶语音聊天

_____

_____

## 安　静

读书

洗澡

听音乐

_____

_____

找一找让自己放松和冷静下来的方法，释放压力，缓解内心的**焦虑**。

**和自己聊天**也是一种释放压力的有效方法。你认为，走钢丝的人会对自己说"今天，我可能从钢丝上掉下来"吗？当然不会！他们最有可能做的是，不断提醒自己：

"我清楚自己在做的事情。"或者"我已经练了好久了。"

如果你在练习大声说出来或者展示友好时，你会对自己说什么呢？试着鼓励自己吧。看着镜子里的自己，给自己来一次鼓舞精神的对话。看看下面的例子：

你会对自己说什么？记住，对自己说的那些鼓励的话，要符合自己的实际情况。

你的情况

做一些让自己放松的事情，学会鼓励自己，都会帮助你减轻压力，激励自己达到目标。接下来，你就真的可以休息、放松，享受生活啦！

# 第九章

# 你能做到!

我们每个人都有**焦虑不安**的时候，但**焦虑**不一定会阻碍你做自己想做的事，也不是一定会影响你跟谁相处。只要练习，焦虑就会被驯服。一开始，你可能会有些忐忑不安。这时，你可以用**自信想法**代替**担忧想法**，调整自己，保持心理平衡；也可以用鼓励性想法挑战虚幻想法，让自我感觉更好。

当然，正如马戏团的演员，你需要努力练习刚刚学到的这些方法，以后才能更好地使用它们。还有，你练习友好和大声讲话的时候，要用礼貌的方式。此外，你还要提前考虑意外情况以及如何应对。要真正熟练使用这些方法，需要花费很多时间。所以，你要善待自己，也要有足够的耐心。

如果你想要放松和平静下来，你知道可以这么做：

做得真好！在马戏团的海报上写下你的名字，和马戏团的朋友们共享欢乐吧！

来吧，一起来

携手马戏团
大家共狂欢！

来观看
**神奇的**

（写上你的名字）

表演高空
自信特技

还有奇特的

（写上你的名字）

**表演驯服
焦虑！**